SOPHOCLE

Œdipe roi

Traduction du grec ancien
par M. Artaud
revue par Jérôme Vérain

Postface par
Jérôme Vérain

Couverture de
Olivier Fontvieille

ÉDITIONS MILLE ET UNE NUITS

SOPHOCLE
n° 305

Texte intégral
Titre original : *Œdipous tyrannos*

Notre adresse Internet : www.1001nuits. com

© Mille et une nuits, département de la Librairie Arthème Fayard,
septembre 2000 pour la présente édition.
ISBN : 2-84205-513-6

Sommaire

SOPHOCLE

Œdipe roi

PERSONNAGES

ŒDIPE
LE PRÊTRE DE ZEUS
CRÉON, FRÈRE DE JOCASTE
LE CHŒUR DE NOTABLES THÉBAINS ET SON CORYPHÉE
TIRÉSIAS, DEVIN AVEUGLE
JOCASTE, VEUVE DE LAÏOS, MÈRE ET ÉPOUSE D'ŒDIPE
LE MESSAGER DE CORINTHE
LE BERGER, SERVITEUR DE LAÏOS
UN ÉMISSAIRE DU PALAIS

Œdipe roi

Prologue

ŒDIPE. Enfants, jeune postérité de l'antique Cadmos [1], pourquoi vous assembler ici ? qui vous amène en ces lieux ? que signifient ces bandelettes et ces rameaux suppliants ? L'encens des sacrifices fume dans toute la ville, qui retentit de gémissements et de péans. Au lieu d'interroger sur vos malheurs une bouche étrangère, votre roi, cet Œdipe si célèbre par toute la terre, vient s'en informer par lui-même. Dis-moi donc, vieillard, toi à qui il appartient de parler au nom des autres, dis-moi quel motif vous rassemble : est-ce la crainte ? est-ce un vœu à exprimer ? Je ne demande qu'à vous venir en aide. Car il faudrait que j'eusse le cœur insensible, pour n'être pas ému de vous voir ainsi agenouillés.

LE PRÊTRE. Œdipe, souverain de mon pays, tu vois cette foule qui se presse autour de tes autels ; des enfants qui peuvent à peine marcher, des vieillards courbés sous le poids des années ; et moi, prêtre de Zeus. Le reste du peuple, le front ceint de couronnes, se répand sur les places publiques, devant les deux temples de Pallas, ou près du sanctuaire d'Isménos [2] .Hélas ! tu le vois toi-même, Thèbes se débat dans un abîme de maux, et peut à peine soulever sa tête de la mer sanglante où elle est plongée : la mort atteint les fruits dans les entrailles de la terre ; la mort frappe les troupeaux, et fait périr l'enfant dans le sein de sa mère. Une divinité redoutable, la peste dévorante, ravage la ville et dépeuple la race de Cadmos. Le noir Hadès s'enrichit de nos pertes et de nos larmes. Ces enfants et moi, nous venons maintenant t'invoquer, non comme un dieu, mais comme le premier des hommes, le plus favorisé des mortels et le plus capable de soulager nos maux. C'est toi qui as affranchi, à peine arrivé, la ville de Cadmos [3] du tribut qu'elle payait à l'inflexible chanteuse [4] ; sans être instruit par nous, seul, avec l'aide divine, tu devins notre libérateur. Aujourd'hui encore, puissant Œdipe, nous implorons de toi quelque remède à nos maux ; consulte les dieux ou les hommes. Ceux qui ont l'expérience trouvent le meilleur parti. Viens, ô le meilleur des mortels, relever cette ville abattue : viens, ne perds pas le soin de ta gloire. Cette terre, reconnaissante de tes anciens services, te donne maintenant le nom de sauveur ; mais ces brillants souvenirs s'effaceraient bientôt devant notre misère. Rassure donc cette ville contre le péril, et ne démens pas aujourd'hui les heureux auspices sous lesquels tu nous apparus alors. Si tu dois encore régner sur cette terre, tu ne peux vouloir un royaume vide de citoyens. Qu'est-ce qu'une forteresse sans soldats, un navire sans matelots ?

ŒDIPE. Pauvres enfants, je n'ignorais pas vos désirs. Je sais que vous souffrez tous, et, dans cette commune douleur, aucun de vous ne souffre autant que moi. Car l'affliction de tous retombe sur moi seul : je pleure tout ensemble les maux de Thèbes, les vôtres et les miens. Vos plaintes ne m'ont pas trouvé endormi : sachez que j'ai déjà versé bien des larmes, et mon esprit inquiet a tenté plus d'une voie de salut. Le seul remède que j'aie enfin trouvé n'a pas été négligé. Le fils de Ménécée, Créon [5], mon beau-frère, est allé, par mon ordre, au temple de Delphes, demander au dieu par quels vœux ou quels sacrifices je pourrais sauver cette ville. Je calcule le temps de son absence, et déjà mon esprit s'inquiète. Il tarde plus que je ne pensais. Quand il sera venu, je serais bien coupable si je n'exécutais tous les ordres du dieu.

LE PRÊTRE. Tes paroles ont été entendues : ces enfants m'annoncent l'arrivée de Créon.

Créon entre.

ŒDIPE. Divin Apollon, puisse notre fortune répondre à l'allégresse qui éclate sur ses traits !

LE PRÊTRE. Sans doute il apporte une réponse favorable ; car sa tête est ceinte d'une couronne de laurier fleuri.

ŒDIPE. Nous ne tarderons pas à l'apprendre ; déjà votre voix peut arriver jusqu'à lui. Ô toi qui m'es uni par les liens du sang, fils de Ménécée, parle ; quelle est la réponse du dieu ?

CRÉON. Elle est bonne ; car nos maux se changeront en biens, si nous savons les vaincre.

ŒDIPE. Que signifie ce langage ? Je ne sais si je dois me tranquilliser ou m'alarmer…

CRÉON. Parlerai-je en présence de cette foule, ou entres-tu dans le palais ?

ŒDIPE. Parle en présence de tous. Leur sort m'inquiète plus que le mien.

CRÉON. Je dirai sans détour la réponse du dieu. Phoïbos [6] a répondu nettement de chasser de cette terre un monstre, que depuis trop longtemps elle nourrit dans son sein.

ŒDIPE. Quelle expiation demande le dieu? quel est ce monstre?

CRÉON. Le sang a souillé notre ville. Il faut chasser le coupable, ou punir le meurtre par le meurtre.

ŒDIPE. Quel sang crie donc vengeance?

CRÉON. Prince, Laïos régnait autrefois en cette contrée, et te précéda sur le trône.

ŒDIPE. On me l'a dit. Mes yeux ne l'ont jamais vu.

CRÉON. Il fut tué : le dieu nous enjoint de venger sa mort.

ŒDIPE. Mais où sont les meurtriers? comment découvrir les traces incertaines d'un crime ancien?

CRÉON. Elles sont encore en ce pays, a dit le dieu. On trouve ce que l'on cherche avec soin; mais ce que nous négligeons nous échappe.

ŒDIPE. Où le meurtre de Laïos fut-il commis? est-ce dans la ville, à la campagne, ou sur une terre étrangère?

CRÉON. Il allait, disait-il, consulter l'oracle. Il n'est point revenu.

ŒDIPE. Mais n'y eut-il pas quelque témoin? Laïos n'avait-il pas quelque compagnon qui pût nous instruire?

CRÉON. Ils ont péri. Un seul s'est échappé en fuyant; mais il n'a pu dire qu'une chose de ce qu'il a vu.

ŒDIPE. Laquelle? un seul fait peut en faire découvrir bien d'autres, s'il nous donne une lueur d'espérance.

CRÉON. Il dit qu'une troupe de brigands fondit sur Laïos, et l'accabla par le nombre.

ŒDIPE. Des brigands auraient-ils eu cette audace, si quelqu'un, ici, ne les avait payés?

CRÉON. Tels furent les soupçons; mais nous endurions une telle détresse que Laïos n'eut point de vengeur.

ŒDIPE. Quels maux vous empêchèrent-ils de chercher les auteurs du crime?

CRÉON. L'horrible chanteuse, la sphinge [7], qui porta nos craintes sur un danger plus immédiat; on renonça à élucider un crime trop mystérieux.

ŒDIPE. Eh bien! je vais tout reprendre au début, et faire moi-même la lumière sur l'affaire. J'applaudis aux ordres de Phoïbos et à ton zèle; je les seconderai : cette terre et le dieu trouveront en moi un justicier. Ce n'est pas pour un ami étranger, c'est pour moi-même que je poursuivrai le crime. Le meurtrier, quel qu'il soit, voudrait peut-être aussi plonger sa main dans mon sang : les intérêts de Laïos sont les miens. Enfants, relevez-vous; emportez ces tristes rameaux; qu'un autre assemble ici le peuple de Cadmos : je suis prêt à tout faire. Les dieux décideront en ce jour de notre bonheur ou de notre ruine.

LE PRÊTRE. Enfants, levons-nous : nos vœux sont accomplis. Puisse Phoïbos, auteur de l'oracle, être notre sauveur, et mettre fin à nos maux!

Œdipe rentre dans le palais.

LE CHŒUR [8]

Douce parole de Zeus, échappée du riche temple de Pythô [9], que viens-tu annoncer à Thèbes, cette ville fameuse ? Mon cœur frémit et palpite d'effroi. Ô Apollon ! dieu de Délos ! médecin de tous les maux ! j'attends avec crainte le sort que tu me réserves maintenant, ou dans l'avenir. Réponds, fils éclatant de l'espérance, oracle immortel !

Je t'invoque d'abord, fille de Zeus, immortelle Athéna ; et toi Artémis, sa sœur, protectrice de cette terre, assise au milieu de Thèbes sur un trône splendide ; toi aussi, Phoïbos archer ! venez tous nous secourir : si jamais vous avez dissipé nos maux, et éteint leur flamme dévorante, venez encore, grands dieux !

Car je souffre des maux innombrables. Tout un peuple languit, et la prudence ne trouve plus de remède. La terre ne mûrit plus les fruits éclos de son sein ; les mères ne peuvent supporter les tristes douleurs de l'enfantement : vous verriez les morts tomber en foule sur les rives orientales [10], plus vite que la flamme, tels des oiseaux au vol rapide ; la ville entière est dépeuplée.

Des monceaux de cadavres, privés de sépulture, gisent misérablement sur ces campagnes où règne la mort. De tendres épouses, des mères blanchies par l'âge, prosternées au pied des autels, implorent en gémissant le terme de leurs souffrances. Partout les péans se mêlent à de lugubres accents. Viens donc à notre secours, fille éclatante de Zeus !

Mets en fuite ce dieu funeste, cet Arès cruel qui, sans user du bronze ni des armes, m'attaque à grands cris, et me brûle de ses feux. Repousse-le loin de ma patrie, soit dans le vaste sein d'Amphitrite [11], soit sur les bords inhospitaliers de la mer de Thrace. Ce que la nuit a laissé pendant, le jour l'achève.

Ô Zeus, toi qui fais briller en tes mains les éclairs, anéantis-le sous ta foudre !

Que le dieu de Lycie tire de son carquois d'or ses flèches invincibles, et vienne nous défendre ! Qu'Artémis lance ses torches ardentes avec lesquelles elle parcourt les montagnes de Lycie ! Ô toi qui portes le nom de cette ville, et dont une tiare d'or embellit le front, compagnon des Ménades, éclatant Bacchos, viens avec une torche enflammée combattre le plus cruel des dieux !

Premier épisode

ŒDIPE. J'ai entendu vos prières : si vous voulez m'entendre à votre tour, vos maux pourront être soulagés. Étranger à ce récit, étranger à l'action, je ne puis éclaircir un pareil mystère sur d'aussi faibles indices. Thébains, je viens une seconde fois au milieu de vous comme votre concitoyen ; écoutez tous mes paroles. Si l'un de vous sait quelle main a tranché les jours de Laïos, fils de Labdacos, qu'il me révèle tout ; je l'ordonne. Si la crainte retient le coupable, qu'il cesse de garder le silence pour dérober son crime : l'exil en sera le seul châtiment. Si l'un de vous sait que le meurtrier vit sur une terre étrangère, qu'il parle : je lui promets récompense et protection. Mais s'il persiste à garder le silence, par crainte pour lui-même ou pour un ami, qu'il apprenne ce dont je le menace. Quel qu'il soit, je défends à tout habitant de cette terre où je règne de le recevoir, de lui parler, de l'admettre aux prières et aux sacrifices divins, de lui présenter l'eau lustrale. Que tous repoussent de leurs maisons ce fléau de la patrie. Ainsi me l'ordonnent les oracles pythiques : c'est ainsi que je prends les armes, au service du dieu et de la victime. Je maudis l'auteur caché du crime, qu'il l'ait commis seul ou qu'il ait eu des complices. Qu'en châtiment de son forfait il traîne dans l'infamie une vie misérable ! Fût-il admis à ma table, habitât-il ce palais à mon insu, je lui souhaite la même infortune. C'est à vous d'exécuter ces ordres, pour moi-même, pour le dieu et pour cette terre, triste objet de la colère céleste.

Quand même les dieux n'auraient point parlé, convenait-il de laisser impuni un crime qui vous a ravi le meilleur des hommes, votre roi ? Non, il faut le venger. Je suis monté sur le trône qu'il occupait, j'ai reçu la main de son épouse ; et mes enfants, s'il avait eu une descendance, seraient les siens. Mais le malheur s'est appesanti sur sa tête : je vengerai sa mort comme celle de mon père chéri ; je ferai tout pour découvrir le meurtrier du fils de Labdacos, de celui qui descend de Polydore, de Cadmos, du vieil Agénor. Que celui qui refusera de souscrire à mes ordres voie ses champs sans moissons, son épouse sans enfants ! qu'il meure du fléau qui nous afflige ou d'une mort encore plus affreuse ! Quant à vous, Thébains, qui approuvez mes desseins, que toujours la justice et les dieux vous protègent !

LE CORYPHÉE. Je te répondrai, maître, comme tes imprécations l'exigent. Je n'ai point tué Laïos, je ne connais point le meurtrier. C'était au dieu qui a rendu l'oracle d'en expliquer le sens et de montrer le coupable.

ŒDIPE. Il est vrai ; mais un mortel ne saurait contraindre les dieux.

LE CORYPHÉE. Te donnerai-je un autre conseil ?

ŒDIPE. D'autres encore, si tu veux. Ne crains pas de parler.

LE CORYPHÉE. Tirésias partage avec Phoïbos la science de l'avenir, et l'on pourrait obtenir de lui d'importantes réponses.

ŒDIPE. Je n'ai pas négligé cette ressource. Sur l'avis de Créon, j'ai envoyé vers lui deux émissaires. Je m'étonne qu'il tarde si longtemps.

LE CORYPHÉE. Quant aux bruits qui coururent autrefois, ce ne sont que ragots.

ŒDIPE. Lesquels ? Je veux tout entendre.

LE CORYPHÉE. On a dit que des voyageurs l'avaient tué.

ŒDIPE. Je le sais : mais on ne connaît pas de témoin.

LE CORYPHÉE. La crainte de tes malédictions en fera paraître.

ŒDIPE. Celui que le crime n'effraie point ne saurait craindre des paroles.

LE CORYPHÉE. On saura bien le découvrir : voilà qu'on amène ici le divin prophète qui, seul d'entre les mortels, a le don de la vérité.

Entrée de Tirésias.

ŒDIPE. Tirésias, toi qui connais toutes vérités, celles qu'on peut connaître et celles qui sont interdites, les vérités terrestres comme les vérités célestes, tu sais, même si tes yeux ne le voient pas, quel fléau cruel désole cette cité. Seul, tu peux être son sauveur. Phoïbos, si mes envoyés ne te l'ont pas appris, ne met d'autre terme à nos souffrances que la mort ou l'exil du meurtrier de Laïos. Ne nous refuse pas ton secours ; consulte le vol des oiseaux et les autres ressources de ton art. Assure ton salut, celui de la cité, le mien, et venge ce sang qui appelle sur nos têtes la colère céleste. En toi est notre espoir. Le plus bel usage que nous puissions faire de notre art ou de notre pouvoir, c'est de servir nos semblables.

TIRÉSIAS. Hélas ! la science est quelquefois un présent funeste. Je le savais ! je n'aurais pas dû venir !

ŒDIPE. Explique-toi : pourquoi regrettes-tu d'être venu ?

TIRÉSIAS. Laisse-moi partir. Crois-moi : tu serviras mieux ton intérêt et le mien.

ŒDIPE. Tu as tort de parler ainsi, et c'est manquer d'amour pour ton pays, que de lui refuser le secours de tes lumières.

TIRÉSIAS. Tes paroles sont indiscrètes. Je me tais pour ne pas encourir le même reproche.

ŒDIPE. Au nom des dieux, ne nous cache rien de ce que tu sais. Tu nous vois à tes pieds ; ne dédaigne pas nos prières.

TIRÉSIAS. Vous ignorez ce que vous demandez. Je refuse d'attirer sur moi – sur toi, peut-être – de telles catastrophes...

ŒDIPE. Quoi ! tu sais tout, et tu refuses de parler ! tu veux nous trahir et perdre cette ville !

TIRÉSIAS. Je ne veux ni mon malheur ni le tien. Pourquoi m'interroger inutilement ? tu n'apprendras rien de moi.

ŒDIPE. Ô le plus pervers des hommes – car enfin ta résistance irriterait un rocher –, tu ne veux point parler ? tu seras inflexible ?

TIRÉSIAS. Tu accuses mon obstination : tu ne sens pas jusqu'où va la tienne, et c'est à moi que tu t'en prends !

ŒDIPE. Et qui ne s'irriterait de ce langage, et de ton mépris pour cette cité ?

TIRÉSIAS. Ce fatal secret se révèlera bien, malgré mon silence.

ŒDIPE. Dis-le donc, puisqu'on doit le connaître.

TIRÉSIAS. Je me tais. Tu peux te livrer à tout l'emportement de ta farouche colère.

ŒDIPE. Très bien ! dans ce cas, je céderai à ma fureur et ne déguiserai point mes soupçons ! Apprends que tu parais à mes yeux le complice, je dirai presque l'auteur de l'attentat. Si tu n'étais privé de la lumière, je t'accuserais pour de bon de l'avoir commis.

TIRÉSIAS. Puisqu'il en est ainsi, je te prescris, moi, d'obéir à l'arrêt que tu as prononcé, et dès ce jour de ne parler ni à moi ni à aucun des Thébains; car tu es l'impie qui souille cette terre.

ŒDIPE. Tu oses m'accuser avec tant d'impudence! Crois-tu détourner ainsi les soupçons?

TIRÉSIAS. Je ne les crains pas, car j'ai pour moi l'appui de la vérité.

ŒDIPE. Et qui te l'a apprise? Sans doute ce n'est point ton art.

TIRÉSIAS. C'est toi-même qui m'as contraint à parler.

ŒDIPE. Voyons, répète, que tout soit clair.

TIRÉSIAS. N'as-tu pas entendu? ou veux-tu m'éprouver?

ŒDIPE. Je veux être plus certain. Parle.

TIRÉSIAS. Je te dis que tu es le meurtrier que tu cherches.

ŒDIPE. Tu ne m'outrageras pas deux fois impunément!

TIRÉSIAS. Faut-il en dire encore pour redoubler ta colère?

ŒDIPE. Dis tout ce qui te plaira; tes propos seront vains.

TIRÉSIAS. Je te le déclare, tu ignores les horribles liens que tu as formés; tu ne connais point tout ton malheur.

ŒDIPE. Penses-tu donc que ces injures resteront impunies?

TIRÉSIAS. La vérité a-t-elle rien à craindre?

ŒDIPE. Non sans doute; mais toi, dont les yeux, les

oreilles et l'esprit sont à jamais fermés, tu ne peux l'invoquer.

TIRÉSIAS. Malheureux, tu me reproches ce que bientôt on dira de toi-même.

ŒDIPE. Les ténèbres de tes yeux t'empêcheront de me nuire, et de blesser aucun de ceux qui voient la lumière.

TIRÉSIAS. Mon destin n'est point de tomber sous tes coups : Apollon saurait me venger.

ŒDIPE. Ces mensonges sont-ils de Créon ou de toi ?

TIRÉSIAS. N'accuse point Créon de tes maux ; toi seul en es l'auteur.

ŒDIPE. Richesse, couronne, sagesse sublime, tout ce qu'on croit le comble du bonheur humain, vous êtes bien exposées à l'envie, si, pour une royauté que la cité m'a accordée d'elle-même, sans que je la réclame, Créon, cet ancien, ce fidèle ami, trame contre moi des intrigues secrètes, et suborne ce misérable devin, vil artisan de fraude et de prestiges, clairvoyant pour le gain, mais aveugle dans son art ! Car enfin, dis-moi où tu as été bon prophète. Lorsque l'horrible sphinge sévissait ici, comment se fait-il que tu n'aies pas révélé à tes concitoyens le secret de l'énigme ? Était-ce au premier venu ou au prophète que cela incombait ? Ni le vol des oiseaux ni aucun des dieux ne t'en ont fait pénétrer le secret. Et moi, mortel ignorant, à peine arrivé, j'ai confondu le monstre, par le seul secours de ma raison, sans consulter le vol des oiseaux ! Aujourd'hui tu veux me renverser : tu espères régner à l'ombre de Créon ; mais peut-être ces intrigues te coûteront-elles cher, ainsi qu'à leur auteur. Si tu n'étais pas un vieillard, ton insolence aurait déjà été punie.

LE CORYPHÉE. Ses paroles et les tiennes, Œdipe, nous semblent dictées par la colère. De tels débats sont inutiles ; nous devons seulement songer à comprendre l'oracle du dieu.

TIRÉSIAS. Tu es roi, Œdipe, mais je puis aussi te répondre : j'en ai le droit. Je suis l'esclave de Loxias [12], non le tien, et je n'ai pas besoin du secours de Créon. Tu me reproches d'être aveugle ; mais toi, malheureux, toi qui jouis de la lumière, tu ne vois pas en quel abîme de maux tu es tombé, quel palais tu habites, avec qui tu demeures. Sais-tu qui t'a donné le jour ? Tu ignores quel crime te rend exécrable à tes proches, ici et dans les enfers. Chargé de la haine d'un père et d'une mère, la malédiction, déesse aux pieds terribles, te repoussera de cette terre : tes yeux alors ne verront plus. Quel lieu ne retentira pas de tes cris ? Les antres du Cithéron [13] en seront ébranlés, lorsque tu connaîtras l'hymen fatal où est venu échouer ton bonheur. Tu ne sais pas l'orage de maux qui fondra sur toi, et te rendra l'égal de tes enfants. Insulte tant que tu veux Créon et Tirésias : nul mortel ne mènera une vie plus misérable que toi.

ŒDIPE. Faut-il entendre de pareils outrages ? Ne partiras-tu point ? Ne t'éloigneras-tu pas enfin de ces lieux ?

TIRÉSIAS. Je ne serais point venu, si tu ne m'avais appelé.

ŒDIPE. Je ne t'aurais pas appelé, si j'avais prévu tes discours insensés.

TIRÉSIAS. Je te parais insensé : tes parents jugeaient mieux de moi.

ŒDIPE. Quels parents ? Arrête : qui m'a donné la vie ?

TIRÉSIAS. Ce jour va te donner à la fois la naissance et la mort.

ŒDIPE. Tes paroles ne sont qu'énigmes obscures.

TIRÉSIAS. N'es-tu pas habile à les expliquer ?

ŒDIPE. Tu me reproches ce qui fait ma gloire.

TIRÉSIAS. C'est plutôt ce qui fait ta perte.

ŒDIPE. Dis ce que tu voudras : c'est moi qui ai sauvé la ville.

TIRÉSIAS. Je me retire. Enfant, conduis-moi.

ŒDIPE. C'est cela, va-t-en : depuis trop longtemps ta présence m'importune.

TIRÉSIAS. Je pars, mais je ne serai pas venu en vain ; je parlerai sans craindre tes regards : ma vie ne dépend pas de toi. Cet homme que tu cherches, ce meurtrier que tu maudis, il est ici. Il passe pour étranger, mais il apprendra que Thèbes est sa patrie ; il n'aura pas lieu de s'en réjouir. Lui qui jouit de ses yeux, il perdra la vue ; lui qui est riche, il tombera dans la pauvreté ; il errera sur une terre étrangère, appuyant sur un bâton ses pas chancelants : ses enfants verront en lui un frère aussi bien qu'un père ; son épouse, un fils autant qu'un mari ; son père, un rival autant qu'un parricide. Maintenant rentre dans ton palais : réfléchis à ces paroles ; si mes prédictions sont fausses, tu peux dire que Tirésias n'est point un prophète.

Tirésias et Œdipe quittent la scène.

LE CHŒUR

Quel est ce coupable dénoncé par le rocher prophétique de Delphes ? Quel mortel a souillé ses mains par un crime inouï ? Il est temps qu'il fuie plus vite que le coursier rapide ! Déjà le fils de Zeus fond sur lui, armé de foudres et d'éclairs ; les Furies cruelles et inévitables le poursuivent.

Des neiges même du Parnasse est parti l'oracle qui ordonne de découvrir ses traces. Déjà, tel un taureau sauvage, le coupable erre dans les bois, au fond des antres et des rochers, traînant ses pas infortunés en des lieux solitaires. Il voudrait échapper à l'oracle sorti du centre de la terre ; mais cette voix immortelle vole autour de lui.

Le sage Tirésias me trouble. Dois-je croire ou rejeter ses paroles ? Je ne sais que penser ; je suis dans l'attente : le présent et le passé me laissent incertain. Je n'ai jamais ouï dire que le fils de Polybe eût rien à démêler avec les Labdacides : aucune preuve ne fixe mon jugement. Dois-je, sur les réponses hardies du prophète, poursuivre sur Œdipe la vengeance d'un meurtre obscur ?

Zeus et Apollon lisent dans les cœurs. Mais, parmi les mortels, il n'est pas certain qu'un devin soit plus éclairé que moi. Un mortel peut surpasser un autre en sagesse ; mais jamais, avant d'avoir des preuves évidentes, je ne blâmerai ceux qui sont mis en cause.

Nos yeux ont vu la vierge ailée s'en prendre à Œdipe ; sa sagesse fut reconnue et sauva notre ville : il ne sera pas condamné par moi.

Deuxième épisode

Entrée en scène de Créon.

CRÉON. Citoyens, j'apprends qu'Œdipe me soupçonne des plus noirs forfaits; vous m'en voyez tout ému. S'il pense, au milieu de nos maux, qu'il doit encore craindre mes actions et mes paroles, je ne veux plus vivre après de tels reproches. Ce serait pour moi le plus grand des malheurs d'être méprisé de Thèbes, de mes amis et de vous.

LE CORYPHÉE. Ces reproches ont sans doute été dictés par la colère plutôt que par la conviction.

CRÉON. Qui lui fait croire que j'ai persuadé le devin de dire des impostures?

LE CORYPHÉE. Il le dit; j'ignore ses motifs.

CRÉON. A-t-il pu de sang-froid m'accuser ainsi?

LE CORYPHÉE. Je ne sais : je ne pénètre point dans les actions des rois. Mais le voici lui-même, qui sort de son palais.

Œdipe entre.

ŒDIPE. Quoi! tu oses paraître en ces lieux! Quelle est ton audace de te montrer dans ce palais, toi qui as voulu m'égorger et usurper mon trône! Au nom des dieux, pour former ce dessein téméraire, as-tu remarqué en moi de la faiblesse ou de la démence? Te flattais-tu de me cacher tes intrigues, ou d'échapper à ma vengeance? Sans amis, sans crédit, étais-tu assez aveugle pour prétendre au trône, tandis qu'on ne l'obtient que par l'or, et par l'appui du peuple?

CRÉON. Écoute : laisse-moi répondre à tes soupçons; tu jugeras ensuite.

ŒDIPE. Je connais ton éloquence; mais je suis peu

disposé à l'entendre, tu as trop mal agi envers moi.

CRÉON. Mais écoute un instant.

ŒDIPE. Tu ne saurais te disculper à mes yeux.

CRÉON. Tu t'abuses, si tu te fais honneur d'un entêtement sans raison.

ŒDIPE. Tu t'abuses, si tu penses que ton crime envers un parent doive rester impuni.

CRÉON. J'approuve ce que tu dis ; mais, de grâce, quel crime ai-je commis ?

ŒDIPE. Est-ce par ton conseil, ou non, que j'ai mandé ce fameux prophète ?

CRÉON. Oui, je suis loin de m'en défendre.

ŒDIPE. Depuis combien de temps Laïos…

CRÉON. Quoi donc ? Explique-toi.

ŒDIPE. Depuis combien de temps a-t-il disparu ?

CRÉON. Depuis de longues années.

ŒDIPE. Ce devin exerçait-il alors son art ?

CRÉON. Sa science était aussi respectée qu'aujourd'hui.

ŒDIPE. Fit-il alors mention de moi ?

CRÉON. Non, du moins jamais en ma présence.

ŒDIPE. Ne fit-on point d'enquête sur le meurtre ?

CRÉON. Sans doute ; mais ce fut en vain.

ŒDIPE. Pourquoi donc ce grand prophète n'a-t-il point révélé alors ses secrets ?

CRÉON. Je ne sais ; je me tais sur ce que j'ignore.

ŒDIPE. Tu diras du moins ce que tu sais, si tu as un peu de bon sens…

CRÉON. De quoi s'agit-il ? si je le sais, je ne refuse point de le dire.

ŒDIPE. S'il n'avait pas été d'accord avec toi, jamais Tirésias ne m'aurait accusé du meurtre de Laïos.

CRÉON. Tu sais mieux que tout autre ce qu'a dit Tirésias ; mais à ton tour réponds à mes questions.

ŒDIPE. Parle : on ne découvrira pas en moi un meurtrier.

CRÉON. N'as-tu pas épousé ma sœur ?

ŒDIPE. Je ne puis le nier.

CRÉON. Tu partages la royauté avec elle.

ŒDIPE. Ses désirs sont sacrés pour moi.

CRÉON. Ne suis-je pas associé à votre pouvoir ?

ŒDIPE. Et c'est en quoi se montre ta trahison.

CRÉON. Réfléchis un instant, et tu changeras de langage. Dis-moi, penses-tu que personne préférât un trône et ses périls à une vie paisible avec la même puissance ? Je ne désire pas le titre de roi, quand j'en ai le pouvoir ; et tout homme sensé pensera de même. Je vis sans crainte, comblé de tes bienfaits ; si je régnais, je ne serais plus maître de moi-même. Préférerais-je la couronne à une autorité paisible ? Je ne suis pas assez aveuglé pour ne pas me contenter d'une grandeur exempte de peines. Tout prévient mes désirs ; on m'aime ; je suis l'interprète de ceux qui t'implorent ; de moi dépend le succès de leurs vœux. Et j'aurais pu sacrifier ces avantages ! Un esprit sage ne s'égare pas ainsi. Non, je n'ai point conçu une telle pensée, et jamais je ne serai le complice de celui qui l'aurait : je puis t'en convaincre. Va t'informer à Delphes, pour savoir si mon récit a été fidèle. Si tu découvres que le devin est d'intelligence avec moi, frappe ; je me condamne moi-même. Mais ne m'accuse pas sur de vains soupçons. Il est injuste de confondre le vice et la vertu. Chasser un ami fidèle, c'est s'arracher la vie, ce don si précieux. Le temps dévoilera tout ; il faut du temps pour reconnaître le juste ; un seul jour suffit à démasquer le coupable.

LE CORYPHÉE. Ses paroles sont sages ; crains de t'égarer. Un jugement précipité est dangereux.

ŒDIPE. Une trahison précipitée exige une prompte vengeance. Si je tarde, il accomplit ses desseins, et c'est moi qui perds la partie.

CRÉON. Que veux-tu ? mon exil ?

ŒDIPE. C'est ta mort, non ton exil, que je veux.

CRÉON. Mais dis-moi les motifs de ta haine.

ŒDIPE. Tu ne veux point m'obéir ?

CRÉON. Je te vois si peu raisonnable !

ŒDIPE. Je ne fais que me défendre.

CRÉON. Et moi donc, que fais-je ?

ŒDIPE. Mais tu es un traître.

CRÉON. Toi, tu es injuste.

ŒDIPE. Tu ne dois pas moins m'obéir.

CRÉON. Pas si tes ordres sont injustes.

ŒDIPE. À moi, Thèbes ! à moi !

CRÉON. Je puis l'implorer comme toi.

LE CORYPHÉE. Arrêtez. Voilà fort à propos Jocaste qui s'avance hors du palais ; elle va régler votre querelle.

Entre Jocaste.

JOCASTE. Hélas ! pourquoi vous livrer ainsi à des querelles absurdes ? Ne rougissez-vous pas de donner cours à des haines personnelles, au milieu des maux qui affligent la patrie entière ? Œdipe, rentre dans le palais, et toi, Créon, chez toi : n'exagérez pas une dispute ridicule !

CRÉON. Ma sœur, ton époux me menace des plus cruels traitements ; il me réserve l'exil ou la mort.

ŒDIPE. Il est vrai ; c'est le prix de ses trames odieuses contre ma personne.

CRÉON. Que je meure, et que tes malédictions s'accomplissent, si j'ai rien fait de ce que l'on m'impute.

JOCASTE. Œdipe, crois à ses serments ; crois en les dieux qu'il invoque, et moi-même, et ces Thébains qui t'entourent.

LE CORYPHÉE. Laisse-toi persuader, Œdipe ; je t'en supplie.

ŒDIPE. Que demandes-tu de moi ?

LE CORYPHÉE. Tu dois des égards à celui que son serment rend plus respectable encore.

ŒDIPE. Sais-tu ce que tu veux ?

LE CORYPHÉE. Oui.

ŒDIPE. Explique-toi.

LE CORYPHÉE. Ne déshonore pas par de vains soupçons un ami qui s'est lié par la foi du serment.

ŒDIPE. Sache donc que me faire cette demande, c'est vouloir ma mort ou mon exil.

LE CORYPHÉE. J'en atteste le soleil, le premier de tous les dieux ! que je périsse abandonné des dieux et des hommes, si j'ai eu cette pensée. Ce qui afflige mon cœur, c'est la patrie en deuil, c'est de vous voir ajouter vos querelles aux malheurs publics.

ŒDIPE. Eh bien, qu'il parte ; dussé-je le payer de ma mort ou de mon exil. Je cède à vos larmes, et non à ses prières. Partout il me sera toujours odieux.

CRÉON. Tu cèdes à regret, je le vois ; mais tu te haïras toi-même quand ta colère sera calmée. De pareils caractères trouvent en eux-mêmes leur tourment.

ŒDIPE. Ne partiras-tu point ?

CRÉON. J'emporte ta haine ; mais ce peuple me rend plus de justice.

LE CORYPHÉE. Ô Jocaste, que tardes-tu à emmener Œdipe ?

JOCASTE. Je veux apprendre le motif de leur querelle.

LE CORYPHÉE. De vains soupçons d'un côté ; de l'autre, l'irritation due à d'injustes reproches.

JOCASTE. Ils ont donc tort tous deux ?

LE CORYPHÉE. Oui.

JOCASTE. De quoi s'agissait-il ?

LE CORYPHÉE. C'en est assez, au moment où notre terre est accablée : laissons cette querelle en l'état.

ŒDIPE. Voilà donc où tendaient tes bons conseils : tu n'as fait qu'affaiblir ma résolution.

LE CORYPHÉE. Œdipe, je l'ai dit et je le répète ; je serais un insensé, j'aurais perdu toute raison, si je t'abandonnais, toi qui as sauvé ma patrie du naufrage. Puisses-tu être encore aujourd'hui notre libérateur !

JOCASTE. Au nom des dieux, dis-moi ce qui a excité ta colère.

ŒDIPE. Jocaste, nul ne te révère plus que moi. Je te dirai quels complots Créon a tramés.

JOCASTE. Explique-moi clairement le sujet de la querelle.

ŒDIPE. Il m'impute le meurtre de Laïos.

JOCASTE. Formule-t-il lui-même cette accusation, ou la tient-il de quelqu'un d'autre ?

ŒDIPE. Il a suborné Tirésias, dont il sait que la langue est sans frein.

JOCASTE. Laisse là tous ces discours : crois-moi, aucun mortel ne dévoile les secrets du ciel. Je veux t'en donner une preuve certaine. Un oracle, dicté sans doute, non par le dieu, mais par ses ministres, prédit autrefois à Laïos qu'il périrait de la main de son fils. Et cependant on assure que des brigands l'ont tué dans un sentier étroit, à un carrefour. Quant à son malheureux fils, il n'avait pas trois jours que ses pieds étaient percés [14] et qu'il était jeté par une main étrangère sur une montagne déserte. La prophétie d'Apollon ne s'est point accomplie, et Laïos n'a pas péri de la main de son fils, en dépit de ce qu'avaient annoncé les oracles. Méprise-les : le dieu manifeste aisément ce qu'il veut révéler.

ŒDIPE. En quelle incertitude ce récit vient de jeter mon âme !

JOCASTE. Quel trouble t'agite ?

ŒDIPE. Laïos, dis-tu, fut tué à un carrefour ?

JOCASTE. On l'a dit, et ce bruit ne s'est point démenti.

ŒDIPE. Où se passa ce triste événement ?

JOCASTE. En Phocide, à l'endroit où les routes de Delphes et de Daulia se rejoignent.

ŒDIPE. Combien de temps s'est écoulé depuis ?

JOCASTE. Ces événements nous furent connus peu avant le temps où tu devins roi de ce pays.

ŒDIPE. Ô Zeus ! quel sort m'as-tu réservé !

JOCASTE. D'où viennent ces sombres pensées ?

ŒDIPE. Ne m'interroge point. Dépeins-moi Laïos, sa taille, son âge.

JOCASTE. Sa taille était haute ; sa tête commençait à blanchir : il avait avec toi assez de ressemblance.

ŒDIPE. Malheureux ! sans le savoir, j'ai lancé contre moi-même de terribles imprécations !

JOCASTE. Que dis-tu ? je n'ose porter sur toi mes regards.

ŒDIPE. Je tremble que le devin ne soit que trop

bien éclairé sur mon affreux destin. Dis encore un mot, et je serai éclairci.

JOCASTE. Je tremble ; mais parle : je répondrai.

ŒDIPE. N'avait-il avec lui qu'un petit nombre d'hommes, ou des gardes, des soldats et toute la pompe d'un roi ?

JOCASTE. Cinq hommes composaient son escorte ; de ce nombre était le héraut : un seul char menait Laïos.

ŒDIPE. Malheureux ! tout est clair à présent ! Qui a donné ces détails ?

JOCASTE. Un de ses compagnons, échappé seul du danger.

ŒDIPE. Est-il encore dans ce palais ?

JOCASTE. Non. À peine de retour à Thèbes, te voyant sur le trône, et Laïos au tombeau, il me pria, en me prenant les mains, de l'envoyer loin de cette ville, à la campagne, garder nos troupeaux. Je le fis. Ce fidèle serviteur eût mérité de plus grandes récompenses.

ŒDIPE. Ne pourrait-il venir promptement ici ?

JOCASTE. Sans doute. Mais pourquoi l'appeler ?

ŒDIPE. Hélas ! je crains d'avoir trop parlé ; je veux qu'il vienne.

JOCASTE. Il viendra ; mais ne suis-je pas digne que tu me confies tes douleurs ?

ŒDIPE. Tu vas les connaître, et savoir à quelle cruelle angoisse je suis livré. À qui pourrais-je mieux dire mon infortune ?

Polybe de Corinthe est mon père ; Mérope, ma mère, naquit en Doride. J'étais le premier des citoyens de Corinthe, lorsqu'un événement propre à me surprendre, mais peu digne de m'inquiéter si vivement, vint mettre fin à mon bonheur. Au milieu d'un festin, un homme plein d'ivresse me reprocha d'être un fils « pour rire » [15]. Pénétré de douleur, j'attendis impatiemment la fin du jour. Le lendemain je me rendis auprès de mon père, de ma mère, et les interrogeai ; ils s'indignèrent contre celui qui m'avait outragé. Leur réponse dissipa mes craintes, mais le trait qui m'avait blessé me poursuivit ; il était entré profondément dans mon cœur. Je partis à leur insu ; j'allai au temple de Pythô : Phoïbos dédaigna mes questions, mais il me prédit des forfaits inouïs : que je serais le mari de ma mère ; que je mettrais au jour une race exécrable ; que je serais l'assassin de mon père. Effrayé de ces menaces, je m'éloignai de Corinthe, dont je ne devais plus mesurer la distance que par le cours des astres : je m'enfuis pour éviter l'accomplissement des terribles prédictions. J'arrivai en ces lieux où tu dis que périt Laïos. Femme, voici maintenant la vérité. J'étais dans ce fatal sentier, lorsqu'un héraut et, sur un char attelé de pouliches, un homme semblable à celui que vous m'avez dépeint, se présentèrent devant moi. Le vieillard et celui qui conduisait son char prétendaient forcer le passage. Emporté par la colère, je m'élançai sur celui-ci et le frappai. Je volai vers le char : le vieillard, quand je me trouvai à sa portée, me cingla à la tête de son fouet à double lanière. Il le paya cher : je le frappai du bâton dont ma main était chargée et le renversai de son char ; il tomba : ses compagnons furent tous massacrés. Si cet inconnu a quelque rapport avec Laïos, quel homme est plus malheureux que moi, et plus haï des dieux ? Nul étranger, nul Thébain, ne peut désormais me recevoir ni me parler. Ils me chasseront de leurs demeures ; et c'est moi seul qui me suis maudit. Les mains teintées du sang de Laïos ont souillé sa couche. Mes crimes n'ont-ils pas comblé la mesure ? Il faut m'exiler, et dans mon malheur je ne puis ni revoir les miens, ni mettre le pied sur le sol de ma patrie, où il ne me resterait qu'à coucher avec ma mère et assassiner mon père, Polybe, qui m'a engendré et nourri. Ah ! que l'on reconnaît bien le fatal destin qui me poursuit ! Ne souffrez point, justes dieux, que je voie un pareil jour ! Plutôt disparaître du monde des humains, que de porter pareille souillure !

LE CORYPHÉE. Je partage tes craintes : mais conserve l'espérance jusqu'à ce que tu aies vu le berger.

ŒDIPE. Je l'attends : c'est mon unique espoir.

JOCASTE. Comment sa venue peut-elle te rassurer ?

ŒDIPE. Écoute : si son langage s'accorde avec le tien, je suis sauvé.

JOCASTE. Qu'ai-je dit ?

ŒDIPE. Il assure, dis-tu, que des brigands ont massacré Laïos. S'il persiste à le dire, je ne suis point le meurtrier. Car j'étais seul, et il n'a pu se tromper sur le nombre. Sinon, j'ai commis le crime.

JOCASTE. Oui, il l'a dit, et il ne saurait changer de langage. La ville entière en a été témoin. Mais dût-il tenir un autre discours, son récit ne sera jamais conforme à l'oracle. Apollon a prédit que Laïos périrait de la main de mon fils. Ce fils infortuné a péri le premier et n'a point tué Laïos. Aussi ne puis-je désormais ajouter foi à aucun oracle.

ŒDIPE. La raison parle par ta bouche. Cependant envoie chercher ce berger sans tarder.

JOCASTE. Tu le verras bientôt ; mais rentrons. Tous tes désirs seront satisfaits.

LE CHŒUR

Puissé-je jouir du bonheur suprême de conserver la sainteté dans mes paroles et dans mes actions, et de régler ma vie sur ces lois sublimes, émanées des cieux, dont l'Olympe seul est le père, qui ne furent point produites par la race des hommes, et que l'oubli n'effacera jamais ! Un dieu puissant vit en elles, et la vieillesse n'approche pas de lui.

L'orgueil enfante le tyran[16]. Si le tyran se livre à tous ses caprices, l'orgueil le place sur une hauteur escarpée, et le pousse à une perte inévitable. Je prie le dieu de ne pas enlever à la cité tout espoir de salut : je ne cesserai jamais d'implorer sa protection.

Quant à celui dont la main et la langue violent sans vergogne la justice et les temples, qu'il connaisse un sort funeste et reçoive le châtiment de ses insolences coupables : puisqu'il n'a pas reculé devant le sacrilège et n'a pas craint de violer l'inviolable pour amasser des richesses honteuses, qui ne sentirait la colère l'emporter contre lui ? Si l'impiété est récompensée, que me sert de danser en l'honneur des dieux ?

Je n'irai plus porter mes vœux au nombril de la terre, au temple d'Abes[17] ou d'Olympie, si les hommes ne flétrissent pas de tels forfaits. Ô Zeus, souverain des cieux, si c'est avec raison que l'on te nomme le maître du monde, ne le permets point : rien n'échappe à tes regards et à ton éternel empire. Si les oracles rendus à Laïos sont méprisés, si Apollon n'est plus en honneur, c'en est fait du respect des dieux !

Troisième épisode

JOCASTE. Chefs de Thèbes, vous voyez en mes mains ces guirlandes et ces parfums : j'ai résolu d'aller dans les temples des dieux. Le cœur d'Œdipe est en proie aux plus cruels soucis. Au lieu de juger, en homme sensé, les oracles récents à la lumière des anciennes prédictions, il écoute quiconque entretient ses craintes. Puisque mes conseils sont inutiles, ô Apollon, dieu de Lycie, notre voisin, je viens, chargée de ces offrandes, t'implorer dans ce temple afin que tu indiques le remède convenable à nos maux. Car nous sommes glacés de frayeur en voyant Œdipe éperdu, quand il est notre pilote au milieu de l'orage.

Entre un messager de Corinthe.

LE MESSAGER. Étrangers, connaissez-vous le palais d'Œdipe ? ou plutôt dites-moi où il est lui-même.

LE CORYPHÉE. Tu le trouveras en ce palais. La mère de ses enfants est devant toi.

LE MESSAGER. Que Zeus comble de ses faveurs cette vertueuse épouse, elle et ses enfants !

JOCASTE. Qu'il t'accorde la même prospérité ! tu le mérites par ton obligeant langage. Mais dis-moi ce qui t'amène en ces lieux. Que viens-tu nous annoncer ?

LE MESSAGER. D'heureuses nouvelles pour ton époux et pour sa famille.

JOCASTE. Lesquelles ? D'où viens-tu ?

LE MESSAGER. De Corinthe. Les nouvelles sont heureuses sans contredit, mais peut-être vous causeront-elles aussi quelque peine.

JOCASTE. Comment peuvent-elles produire ce double effet ?

LE MESSAGER. Les habitants de Corinthe vont le faire roi [18] de l'Isthme.

JOCASTE. Quoi donc? le vieux Polybe n'est-il plus sur le trône?

LE MESSAGER. Il est dans le tombeau.

JOCASTE. Que dis-tu? Polybe est mort?

LE MESSAGER. Je veux mourir, si je ne dis la vérité.

JOCASTE. Ô femme, cours l'annoncer à ton maître. Oracles des dieux, qu'êtes-vous devenus? Œdipe s'est exilé de Corinthe pour ne pas tuer son père : et les coups du destin enlèvent Polybe; il ne périt point de la main de son fils.

Œdipe entre.

ŒDIPE. Épouse chérie, pourquoi m'envoies-tu chercher dans ce palais?

JOCASTE. Écoute cet étranger : tu verras ce que valent les oracles du dieu.

ŒDIPE. Cet étranger, quel est-il? que vient-il m'apprendre?

JOCASTE. Il vient de Corinthe. Polybe, ton père, n'est plus.

ŒDIPE. Que dis-tu? Étranger, parle toi-même.

LE MESSAGER. Si je dois commencer par cette triste nouvelle, je le répète, il a cessé de vivre.

ŒDIPE. Qui l'a fait mourir? le crime, ou la maladie?

LE MESSAGER. Le moindre accident abat la vieillesse.

ŒDIPE. Je le vois : la maladie a terminé ses jours.

LE MESSAGER. Et surtout la vieillesse.

ŒDIPE. Ah! que sert de consulter les autels prophétiques de Pythô, ou le chant criard des oiseaux? Je devais tuer mon père, il est mort à Corinthe! Et moi je suis ici, innocent, je n'ai point tranché ses jours; à moins que le regret de mon départ ne l'ait mis au tombeau. Ainsi Polybe est aux enfers, emportant avec lui ces frivoles oracles.

JOCASTE. Ne l'avais-je pas prédit?

ŒDIPE. La crainte m'aveuglait.

JOCASTE. Ne conçois plus toutes ces vaines alarmes.

ŒDIPE. L'idée de coucher avec ma mère n'avait-elle rien d'effrayant?

JOCASTE. Et que sert à l'homme de craindre, puisqu'il est le jouet de la fortune, et qu'il ne peut lire dans l'avenir? Le mieux est de s'abandonner au hasard, et de jouir de la vie. Tu crains d'entrer dans la couche de ta mère! Ces imaginations troublent quelquefois nos rêves. Pour vivre heureux, il faut mépriser ces vaines terreurs.

ŒDIPE. Je te croirais complètement si ma mère ne vivait plus; tant qu'elle respirera, j'ai sujet de craindre.

JOCASTE. La mort de ton père devrait t'ouvrir les yeux.

ŒDIPE. J'en conviens; mais ma mère respire.

LE MESSAGER. Qui t'inquiète encore?

ŒDIPE. Mérope, l'épouse de Polybe.

LE MESSAGER. Qu'as-tu à redouter?

ŒDIPE. Les plus terribles prédictions.

LE MESSAGER. Lesquelles? ne puis-je les connaître?

ŒDIPE. Écoute: Apollon me prédit un jour que j'épouserais ma mère, et que mon père périrait de mes mains. Je m'enfuis alors loin de Corinthe. Je ne m'en suis point repenti; mais il est si doux de voir les auteurs de ses jours...

LE MESSAGER. C'est là ce qui t'éloigna de Corinthe?

ŒDIPE. Oui; je craignais de tuer mon père.

LE MESSAGER. Je veux dissiper tes frayeurs; je suis disposé à te servir.

ŒDIPE. Sois sûr de ma reconnaissance.

LE MESSAGER. Je n'attendais pas moins de ta générosité, lorsque tu rentreras dans Corinthe.

ŒDIPE. Je ne retournerai jamais près de ceux qui m'ont donné le jour.

LE MESSAGER. Ô mon fils, que tu te connais peu!...

ŒDIPE. Comment? au nom des dieux, vieillard, explique-toi.

LE MESSAGER. Si c'est là le motif qui t'éloigne de Corinthe...

ŒDIPE. Je crains que l'oracle ne s'accomplisse.

LE MESSAGER. Tu crains de commettre quelque crime sur les auteurs de tes jours?

ŒDIPE. Oui, c'est là ce qui me fait trembler.

LE MESSAGER. Tes craintes n'ont point de fondement.

ŒDIPE. Mais je suis leur fils.

LE MESSAGER. Polybe ne t'est rien par le sang.

ŒDIPE. Quoi! Polybe ne m'a point donné le jour!

LE MESSAGER. Autant et aussi peu que moi.

ŒDIPE. Eh! qu'y a-t-il de commun entre mon père et celui qui ne m'est rien?

LE MESSAGER. Ni lui ni moi ne t'avons donné le jour.

ŒDIPE. Mais il m'appelait son fils.

LE MESSAGER. C'est moi qui t'avais remis entre ses mains.

ŒDIPE. Aurait-il tant chéri un fils étranger?

LE MESSAGER. Il n'avait point d'enfant.

ŒDIPE. M'avais-tu acheté, ou étais-tu mon père?

LE MESSAGER. Je t'avais trouvé sur les rochers déserts du Cithéron.

ŒDIPE. Quel motif te conduisait en ces lieux?

LE MESSAGER. Le soin de quelques troupeaux.

ŒDIPE. Tu étais donc berger, errant en mercenaire?

LE MESSAGER. C'est ce qui fit de moi, ô mon fils, ton sauveur.

ŒDIPE. En quel état me trouvas-tu?

LE MESSAGER. Tes pieds en rendent témoignage.

ŒDIPE. Dieux! quel douloureux souvenir!

LE MESSAGER. Je détachai les liens qui traversaient tes pieds.

ŒDIPE. On me marqua d'un signe fatal.

LE MESSAGER. Cette circonstance te fit donner ton nom.

ŒDIPE. Qui a voulu cela? mon père? ma mère? parle!

LE MESSAGER. Je ne sais. Celui qui te remit en mes mains pourra mieux te répondre.

ŒDIPE. Tu me reçus des mains d'un autre? tu ne me trouvas donc point toi-même?

LE MESSAGER. Sans doute. Un autre berger te remit à moi.

ŒDIPE. Qui? Pourrais-tu le désigner?

LE MESSAGER. Un serviteur de Laïos.

ŒDIPE. Du roi qui régnait ici autrefois?

LE MESSAGER. Oui. Il avait la garde de ses troupeaux.

ŒDIPE. Vit-il encore? puis-je le voir?

LE MESSAGER. Gens d'ici, vous le savez mieux que moi.

ŒDIPE. Si quelqu'un d'entre vous connaît ce berger et l'a vu, soit dans la campagne, soit dans la ville, qu'il me l'apprenne : il faut que je le sache.

LE CORYPHÉE. Je pense que c'est ce même berger que tu as souhaité voir. Jocaste peut te donner de plus sûrs indices.

ŒDIPE. Sais-tu si le berger que nous faisons venir est le même que celui dont il parle ?

JOCASTE. De qui parle-t-il ? Oublie ces vaines paroles.

ŒDIPE. Je ne négligerai pas de pareils indices ; je veux connaître ma naissance.

JOCASTE. Au nom des dieux, si tu aimes encore la vie, abandonne ton dessein. J'ai assez de ma douleur.

ŒDIPE. Rassure-toi. Dussé-je descendre de femmes esclaves sur trois générations, cet opprobre ne rejaillira point sur toi.

JOCASTE. Cède à mes conseils, je t'en supplie.

ŒDIPE. Non : je veux savoir ces secrets.

JOCASTE. Mes paroles sont sages et mes avis salutaires.

ŒDIPE. Depuis longtemps ces avis m'importunent.

JOCASTE. Malheureux ! puisses-tu ignorer qui tu es !

ŒDIPE. Ne verrai-je point ce berger ? Laissez-la se réjouir de sa haute naissance.

JOCASTE. Infortuné ! je ne puis désormais t'appeler que de ce nom.

Elle sort.

LE CORYPHÉE. Vois, Œdipe, Jocaste se retire éperdue : la douleur l'égare. Je crains bien que ce silence ne présage des suites funestes.

ŒDIPE. Funestes ou non, je veux connaître ma naissance, dût-elle être la plus vile. Qu'elle rougisse de mon obscurité, ou peut pardonner cet orgueil à une femme. Mais moi, enfant de la fortune, élevé par elle au plus haut rang, je n'aurai point à rougir. La fortune est ma mère ; les ans sont ma famille, ils ont été témoins de mon abaissement et de ma grandeur. Telle est ma naissance ; elle ne me changera pas au point que j'aie regret de la connaître.

LE CHŒUR

Si je sais lire dans l'avenir, si mes conjectures ne sont point trompeuses, ô Cithéron ! avant que le soleil recommence sa carrière, tu te verras honoré par nous, comme le père et le nourricier d'Œdipe, et célébré par nos danses pour les services que tu rends à nos rois. Ô Phoïbos ! que nos prières te soient agréables !

Ô mon fils, quel dieu t'a donné le jour ? Serait-ce quelque nymphe égarée dans les bois avec le dieu Pan, ou quelque amante de Loxias ? car ce dieu aime aussi les montagnes écartées. Ou bien le dieu de Cyllène [19], ou Bacchos, habitant des monts, l'aurait-il eu comme fils de l'une des nymphes de l'Hélicon ? Il folâtre souvent avec elles.

Quatrième épisode

ŒDIPE. Ô vieillard, si mes conjectures ne me trompent pas, cet inconnu que je vois paraître est le berger que nous cherchions. Son âge et ses traits me le font croire. D'ailleurs je reconnais mes serviteurs qui l'amènent. Mais toi, tu as peut-être déjà vu ce berger. Tu le saurais mieux que moi.

LE CORYPHÉE. En effet, je le connais : Laïos n'avait pas de serviteur plus fidèle.

ŒDIPE. Étranger de Corinthe, est-ce là celui dont tu nous parlais ?

LE MESSAGER. C'est lui-même.

ŒDIPE. Vieillard, regarde-moi et satisfais à toutes mes demandes. As-tu servi Laïos ?

LE BERGER. J'étais son esclave ; non pas qu'il m'eût acheté : je fus nourri dans son palais.

ŒDIPE. Quelle était ta vie, ton emploi ?

LE BERGER. Je conduisais ses troupeaux.

ŒDIPE. Quels lieux fréquentais-tu ?

LE BERGER. Le Cithéron et les pâturages qui l'entourent.

ŒDIPE. Te souviens-tu d'y avoir vu cet homme ?

LE BERGER. Quel homme ? que faisait-il ?

ŒDIPE. Celui qui est devant tes yeux : ne l'as-tu jamais rencontré ?

LE BERGER. Je cherche en vain dans ma mémoire.

LE MESSAGER. Cela ne m'étonne point ; mais il me reconnaîtra bientôt. Je sais très bien qu'il m'a vu dans les pâturages du Cithéron. Il conduisait deux troupeaux ; je n'en avais qu'un. Nous restâmes ensemble trois mois entiers, depuis la fin du printemps jusqu'au coucher de l'ourse. L'hiver, nous ramenions nos troupeaux, moi dans mes bergeries, lui dans celles de Laïos. Il peut dire si je dis vrai.

LE BERGER. Il m'en souvient ; mais tu parles d'un temps bien reculé.

LE MESSAGER. Te souviens-tu de cet enfant que tu me remis alors, et que je devais nourrir comme le mien ?

LE BERGER. Que veux-tu dire ? pourquoi cette question ?

LE MESSAGER. Cet enfant est devant tes yeux.

LE BERGER. Malheureux ! qu'as-tu dit ?

ŒDIPE. Ne le maltraite pas, vieillard. Tu mérites le blâme plus que lui.

LE BERGER. Qu'ai-je fait de mal, ô le meilleur des maîtres ?

ŒDIPE. Tu te tais sur cet enfant dont il parle.

LE BERGER. Il ne sait ce qu'il dit ; il parle sans raison.

ŒDIPE. Tu ne veux point parler ? On usera donc de la force…

LE BERGER. Au nom des dieux, respecte ma vieillesse !

ŒDIPE. Qu'on lui lie les mains !

LE BERGER. Infortuné ! Pourquoi ? que demandes-tu ?

ŒDIPE. Lui as-tu remis cet enfant ?

LE BERGER. Oui, je le lui donnai. Pourquoi ce jour n'a-t-il pas été le dernier de ma vie !

ŒDIPE. Il le sera, si tu ne réponds.

LE BERGER. Il le sera bien plus tôt, si je parle.

ŒDIPE. Cet homme, je le vois, ne cherche qu'à gagner du temps.

LE BERGER. N'ai-je pas avoué que je l'ai remis ?

ŒDIPE. Où l'as-tu pris ? Était-il ton fils ? L'as-tu reçu d'une autre main ?

LE BERGER. Ce n'était pas mon fils ; on me l'avait remis.

ŒDIPE. Qui ? un de ces citoyens ? D'où venait-il ?

LE BERGER. Au nom des dieux, ne me demande rien.

ŒDIPE. Tu meurs, si je répète ma question.

LE BERGER. Il naquit dans le palais de Laïos.

ŒDIPE. D'un esclave, ou de la famille du roi ?

LE BERGER. Ah ! voilà le secret le plus terrible à révéler !

ŒDIPE. Et le plus terrible à entendre : parle cependant.

LE BERGER. On le disait fils de Laïos. Mais Jocaste pourrait mieux t'instruire.

ŒDIPE. Est-ce donc elle qui te le remit ?

LE BERGER. Elle-même.

ŒDIPE. Dans quel dessein ?

LE BERGER. Pour le faire périr.

ŒDIPE. Elle qui l'avait enfanté ?

LE BERGER. Elle redoutait de funestes oracles.

ŒDIPE. Que disaient-ils ?

LE BERGER. Qu'il tuerait les auteurs de ses jours.

ŒDIPE. Pourquoi le remis-tu à ce vieillard ?

LE BERGER. J'en eus pitié ; je crus qu'il l'emporterait dans sa patrie, en des contrées lointaines. Il l'a conservé, et c'est le plus grand des malheurs : car si tu es celui dont il parle, tu es le plus infortuné des hommes.

ŒDIPE. Ainsi tout se découvre ! Soleil, je t'ai vu pour la dernière fois ! Fatale naissance ! odieux hyménée ! exécrable parricide ! voilà ce qui m'était réservé.

LE CHŒUR

Triste race des humains ! que vous êtes peu de chose en cette vie ! L'homme le plus heureux n'a que l'apparence du bonheur, et encore cette apparence est bientôt évanouie ! Instruit par ta cruelle destinée, Œdipe, je ne crois plus au bonheur des mortels.

Ton ambition visait au plus haut, et tu avais atteint son but. Ayant terrassé la vierge aux serres recourbées, tu étais devenu pour la cité un rempart contre la mort. Bientôt, devenu notre roi [20], tu reçus dans Thèbes la puissante des honneurs éclatants. Et maintenant quel homme est plus malheureux que toi ! Quel autre fut précipité par un revers de fortune dans un tel abîme de crimes et de maux ! Illustre, cher Œdipe ! toi qui fus reçu dans le même asile comme fils et comme époux, comment ce champ labouré par ton propre père a-t-il pu si longtemps te supporter en silence ? Le temps, à qui rien n'échappe, a surpris malgré toi ton opprobre, et condamné cet hymen contre nature. Ô fils de Laïos ! pourquoi t'ai-je connu ? Je ne puis trouver assez de larmes. Car il faut le dire, c'est à toi que je devais la vie et le repos.

Cinquième épisode

UN ÉMISSAIRE. Ô vous que ce pays honore, de quels maux allez-vous être témoins ! Je vous apprendrai de cruelles infortunes, et, si la race des Labdacides vous inspire encore quelque amour, votre cœur va être déchiré. Non, les ondes de l'Ister et du Phase [21] ne suffiraient pas pour laver les souillures de ce palais. Ces horreurs secrètes vont être révélées : on verra des crimes, des malheurs d'autant plus épouvantables qu'ils sont nés d'une volonté humaine.

LE CORYPHÉE. Ceux que nous connaissons n'étaient-ils pas assez terribles ? que reste-t-il à annoncer ?

L'ÉMISSAIRE. pour parler bref : Jocaste n'est plus.

LE CORYPHÉE. Infortunée ! qui lui a donné la mort ?

L'ÉMISSAIRE. Elle-même. Vous ne pouvez savoir quelle douleur vous aurait causée cet horrible spectacle ; cependant je vous en ferai le triste récit. Elle était agitée d'une sombre fureur : dès qu'elle eut franchi le seuil du palais, elle marcha à grands pas vers la couche nuptiale, arrachant sa chevelure de ses mains. Aussitôt elle ferma les portes, évoquant l'ombre de Laïos, rappelant à son souvenir cet antique hyménée d'où est sorti un fils parricide et incestueux ; et elle arrosait de ses larmes cette couche où elle eut un époux de son époux, et des enfants de ses enfants : j'ignore comment elle périt. Car, tandis qu'elle expirait, Œdipe survint en poussant d'effroyables gémissements. Tous les yeux se tournèrent vers lui. Tout en marchant il nous demanda une épée. « Où est, dit-il, celle que j'appelais ma femme et qui ne l'est pas ? cette mère qui est la mienne et celle de mes enfants, où est-elle ? » Nous refusions tous de lui répondre ; mais un dieu servait sans doute sa fureur et le conduisait : il le suivit en poussant des cris épouvantables. Il se jeta sur les portes : les gonds se brisèrent ; il se précipita dans le palais. Là nous vîmes Jocaste encore suspendue à la corde qui a terminé ses jours. À cette vue, il rugit comme un lion ; il délia le lien funeste, et se courba sur le corps inanimé. Alors un spectacle affreux se présenta à nous ; arrachant les agrafes du manteau qui enveloppait Jocaste, il en frappait ses yeux en disant : « Ils ne verront plus ni mes maux ni mes crimes. Désormais, les ténèbres m'interdiront de voir ceux que je n'aurais pas dû voir, et ceux qu'il aurait fallu reconnaître. » En même temps, à tour de bras, il se déchirait les yeux : de ses prunelles rougies coulaient sur son menton, non de simples gouttes, mais des torrents noirs, une grêle de sang. Ainsi le malheur a-t-il surgi pour tous deux en même temps, homme et femme. Autrefois leur félicité paraissait digne d'envie : un seul jour a vu les gémissements, le désespoir, l'opprobre, la mort, tous les maux réunis.

Le coryphée. Et que fait-il dans son infortune ?

L'émissaire. Il crie d'ouvrir les portes, et d'exposer aux yeux des Cadméens celui qui fut pour son père un assassin, pour sa mère… Je ne répéterai point ses blasphèmes. Il a résolu de s'exiler de cette terre, et ne veut plus rester dans un palais où le frappent ses propres malédictions. Cependant il a besoin de secours et de guides ; il ne pourrait supporter seul de tels maux. Tu vas en être témoin ; les portes s'ouvrent. Ce spectacle attendrirait même un ennemi.

Œdipe entre.

LE CORYPHÉE. Horrible spectacle ! le plus triste qui ait jamais frappé mes yeux ! Malheureux ! quelle fureur t'a égaré ? quel dieu a attaché à ton sort les plus cruelles infortunes ? Ah ! malheureux Œdipe ! je voudrais te voir, t'interroger, t'entendre, te regarder : je ne puis ; mon corps frémit d'horreur.

ŒDIPE. Hélas ! hélas ! infortuné ! où mes pas me mènent-ils, misérable que je suis ? dans quels confins ma voix se perd-elle ? Ô fortune, où m'as-tu précipité ?

LE CORYPHÉE. Dans une misère insupportable, à voir et à entendre.

ŒDIPE. Épaisses ténèbres ! quel nuage abominable est le mien, quelle horreur indicible s'abat sur moi, indomptable, incontrôlable ! L'aiguillon de la douleur et le remords du crime me déchirent !

LE CORYPHÉE. Je n'attendais pas moins de ton infortune. Un glaive à deux tranchants perce ton cœur.

ŒDIPE. Ô mon ami ! tu me restes donc fidèle ! tu n'abandonnes pas celui qui est privé de la lumière du jour ! Je ne me trompe point. Bien que mes yeux ne puissent te voir, j'ai reconnu ta voix.

LE CORYPHÉE. Qu'as-tu fait là, qu'as-tu fait à tes yeux ? Quel dieu a poussé ton bras ?

ŒDIPE. Apollon, mes amis, oui, Apollon est la cause de mes maux, de mes cruelles souffrances. Mais c'est moi seul qui ai déchiré mes yeux. Que me servait de voir, lorsque tout devait m'affliger ?

LE CORYPHÉE. Il n'est que trop vrai.

ŒDIPE. Que pourrais-je voir, aimer, entendre avec plaisir ? Chassez-moi de cette terre ; délivrez-la de ce fléau, de ce monstre chargé de la haine des hommes et des dieux.

LE CORYPHÉE. Ô Œdipe ! doublement malheureux par tes remords et par tes souffrances ! j'aurais préféré que tu ne saches rien !

ŒDIPE. Périsse celui qui, dans les forêts, détacha les liens de mes pieds et me sauva de la mort ! Funeste bienfait ! j'aurais péri, et je ne serais pas pour mes amis et pour moi un éternel sujet de douleur !

LE CORYPHÉE. Je l'aurais préféré, moi aussi.

ŒDIPE. Je n'aurais pas été le meurtrier de mon père, ni l'époux de celle qui m'a donné le jour. Maintenant, malheureux et coupable, fils de parents impurs, parricide, incestueux, les maux les plus horribles sont tombés sur ma tête.

LE CORYPHÉE. Je ne puis approuver le châtiment que tu t'es infligé : la mort eût été préférable.

ŒDIPE. Ne tiens point ce langage : je me loue de ma résolution. De quels yeux, descendu dans les enfers, regarderais-je un père, une mère, sur lesquels j'ai épuisé tous les crimes ? Diras-tu qu'il eût été doux de voir des enfants d'une si belle origine ? Je n'aurais jamais pu en supporter la vue. Je ne pouvais plus voir cette ville, ces murs, ces temples sacrés des dieux que moi-même, le plus éminent d'entre les Thébains, je me suis à jamais interdits : n'ai-je pas proclamé que tous devaient rejeter le monstre impur dénoncé par les dieux, fût-il issu du sang de Laïos ? Et moi qui ai révélé mon opprobre, j'aurais pu en supporter les témoins ! Non ! Que ne puis-je encore me priver de l'ouïe et, sourd aussi bien qu'aveugle, fermer cette entrée à de nouvelles douleurs ! L'insensibilité adoucit les maux. Ô Cithéron ! pourquoi m'as-tu donné un sauveur, et que n'ai-je trouvé la mort en tes rochers, afin de cacher à la terre l'horreur de ma naissance ! Ô Polybe ! Ô Corinthe ! palais antique que je crus être celui de mon père, quel chancre mal cicatrisé vous avez élevé en moi ! Je ne suis qu'un méchant homme, issu d'une méchante race ! Ô ces trois chemins, cette vallée, ce bois de chênes, ce carrefour étroit, rougis du sang d'un père versé par mes mains, ont-ils oublié les crimes que je commis alors, et ceux que depuis j'ai commis ici ? Ô hymen, hymen qui nous as donné la vie ! nous l'ayant donnée, tu reprends la même semence ! par là tu as produit des pères qui sont en même temps des frères et des fils, de même sang ! des épouses qui sont en même temps femmes et mères ! jamais les hommes ne virent tant de honte et d'horreur. C'en est trop ; craignons d'évoquer en paroles ce qui est répugnant en actes. Au nom des dieux, hâtez-vous ; cachez-moi dans quelque terre écartée ; arrachez-moi la vie ; précipitez-moi dans la mer, en des lieux où vous ne me verrez plus. Approchez, daignez toucher un malheureux ; croyez-moi, ne craignez rien. Aucun autre mortel ne pourrait supporter mes maux.

LE CORYPHÉE. Voici Créon, qui pourra satisfaire tes demandes et t'aider de ses conseils. Désormais le soin de ce royaume est confié à ses mains.

Entre Créon.

ŒDIPE. Hélas ! que dois-je lui dire ? Puis-je rien espérer ? J'ai été si injuste envers lui !

CRÉON. Je ne viens point, Œdipe, insulter à tes maux, et te reprocher ton infortune. Mais vous, Thébains, si vous ne respectez pas les hommes, au moins craignez de souiller la lumière vivifiante de ce soleil sacré, en exposant à tous les yeux cet objet impur que la terre ne peut plus porter, que les eaux sacrées n'arroseront plus, et que le jour n'éclairera jamais. Hâtez-vous de le ramener dans le palais. Des parents seuls peuvent être témoins des maux d'un parent ; eux seuls peuvent entendre ses plaintes.

ŒDIPE. Au nom des dieux, puisque, trompant mon attente, tu paies de la plus généreuse amitié mes cruels outrages, écoute-moi : tu ne t'en repentiras pas.

CRÉON. Que veux-tu ?

ŒDIPE. Chasse-moi au plus tôt de cette terre, loin des regards des hommes.

CRÉON. Je l'aurais fait, n'en doute point, si je ne voulais auparavant consulter le dieu.

ŒDIPE. Mais n'as-tu pas entendu ses ordres ? Il a dit de tuer le parricide, l'impie.

CRÉON. Sans doute ; mais notre situation ordonne de l'interroger encore.

ŒDIPE. Vous le consulterez sur un malheureux ?

CRÉON. Il faut que, cette fois-ci, tu te fies à ses oracles.

ŒDIPE. Je t'obéirai, et te conjure de rendre les derniers devoirs à celle dont le corps est étendu dans ce palais : je me repose de ce soin sur ton attachement pour les tiens. Mais moi, ne pense pas que jamais la ville de mes pères me garde dans son sein, tant que je vivrai. Laisse-moi aller sur les montagnes, sur le Cithéron, ma patrie, que les ordres d'une mère et d'un père m'avaient désigné pour tombeau, afin que je remplisse leurs vœux. Toutefois je prévois trop bien que ce n'est ni la maladie, ni aucun accident ordinaire aux mortels qui doit m'entraîner dans la tombe ; car je n'aurais pas échappé à la mort, si je n'étais réservé à des maux plus affreux. Que ma destinée s'accomplisse ! Quant à mes enfants... je ne te recommande point mes fils [22], ô Créon ! ils sont hommes, et, partout où ils seront, ils ne manqueront pas de soutien. Mais je laisse deux filles infortunées : autrefois nourries à ma table, elles partageaient les aliments dont je soutenais mes jours. Sois leur second père ; permets-moi de les toucher encore, et de pleurer avec elles notre misère. Créon, généreux frère ! Créon ! ah ! s'il m'était permis de les toucher de mes mains, il me semblerait les avoir encore, comme lorsque j'y voyais...

Antigone et Ismène entrent.

Que dis-je ? ne les entends-je pas verser des larmes ? Ô filles chéries ! la pitié de Créon vous aurait-elle envoyées auprès de moi ? n'est-ce point un songe ?

CRÉON. Tu ne te trompes point. Je connaissais tes vœux, et je les ai satisfaits.

ŒDIPE. Ah ! puisses-tu être heureux ! puisse le ciel, en récompense de tes soins, te traiter plus favorablement que moi ! Ô mes enfants, où êtes-vous ? Venez ici, venez toucher ces mains paternelles qui, vous le voyez, ont répandu sur les yeux de votre père une éternelle nuit. Malheureux, qui sans rien connaître, sans rien prévoir, vous ai engendrées dans le sein même qui m'avait porté ! Je ne puis vous voir, mais je pleure sur vous, en songeant à l'amertume qui accompagnera le reste de vos jours. À quelle assemblée de la cité, à quelle fête pourrez-vous assister, sans quitter ces jeux toutes baignées de larmes ? Et quand le temps de votre hymen sera venu, quel mortel, ô mes enfants, osera associer à son nom tout l'opprobre répandu sur mes parents et sur vous ? Et en effet, que manque-t-il à vos calamités ? Votre père a assassiné son père, il a épousé sa mère, il vous a engendrées dans le sein où lui-même il reçut la vie : vous entendrez tous ces reproches, et alors qui osera vous épouser ? Personne, ô mes enfants, personne : le célibat et la stérilité seront votre partage. Ô fils de Ménécée ! puisque tu es le seul père qui leur reste (car leur mère ni moi ne sommes plus), ne les regarde point avec dédain, elles qui sont issues de ton sang ; ne souffre point qu'elles consument leur vie dans l'abandon et la mendicité ; n'égale point leur malheur au mien. Aie pitié de leur jeunesse et de leur délaissement : elles n'ont que toi pour soutien. Promets-le, généreux Créon ; touche-moi de ta main. Je vous donnerais bien des conseils, ô mes enfants, si vous étiez en âge de les entendre : tout ce que je puis vous souhaiter c'est, en quelque lieu que le destin vous fasse vivre, que votre vie soit plus heureuse que celle de votre père.

CRÉON. C'est assez verser de pleurs. Viens dans le palais.

ŒDIPE. J'obéis, quoique à regret.

CRÉON. On fait bien quand on fait ce qu'il faut.

ŒDIPE. Je viens ; mais sais-tu ce que je veux ?

CRÉON. Explique-toi.

ŒDIPE. Que tu me chasses loin de cette terre.

CRÉON. C'est aux dieux de se prononcer.

ŒDIPE. Mais ils me haïssent !

CRÉON. Ainsi tes vœux seront bientôt remplis.

ŒDIPE. Dis-tu vrai ?

CRÉON. Je ne dis point ce que je ne pense pas.

ŒDIPE. Eh bien ! conduis-moi.

CRÉON. Viens, mais quitte ces enfants.

ŒDIPE. Ah ! ne mes les arrache point.

CRÉON. Cesse de vouloir tout régenter ; cela ne t'a pas réussi.

LE CORYPHÉE. Voyez, habitants de Thèbes, cet Œdipe qui expliqua les énigmes de la sphinge, qui devint puissant, que nul n'a jamais regardé sans envie : voyez en quel abîme de maux il est tombé ! Ne disons d'aucun mortel qu'il est heureux avant le dernier jour de sa vie, avant qu'il n'ait achevé sa carrière sans subir l'infortune !

Notes

1. Fils d'Agénor, roi de Tyr, Cadmos partit à la recherche de sa sœur Europe, enlevée par Zeus, à la demande de son père. Ayant tué, avec l'aide d'Athéna, un dragon qui ravageait la contrée, il sema les dents du monstre, d'où naquit une troupe armée. Ainsi fut fondée, selon la légende, la ville de Thèbes, dont il fut le premier roi. Cadmos était considéré comme l'introducteur en Grèce de l'alphabet.

2. Isménos était un devin, réputé fils d'Apollon, dont un sanctuaire se trouvait à proximité de Thèbes, au bord d'un torrent du même nom.

3. Thèbes (*cf.* note 1).

4. La sphinge (*cf.* note 7), à corps de lion, à visage et buste de femme, portait des ailes d'oiseau. Dans le chant du chœur qui suit le premier épisode, Sophocle la nomme « la vierge ailée », et dans le dernier, « la vierge aux serres recourbées ».

5. Créon, frère de Jocaste, avait exercé le pouvoir à Thèbes, en tant que régent, entre la mort de Laïos et la victoire d'Œdipe sur la sphinge. Son père, Ménécée, descendait directement de Cadmos. Laïos, quant à lui, était le fils de Labdacos, fondateur de la dynastie thébaine des Labdacides.

6. Phoïbos : Apollon.

7. Le sphinx, monstre « importé » d'Égypte (cf. note 4), était dans la mythologie grecque une divinité féminine.

8. Les passages en italiques signalent les parties chantées par le chœur : après un prologue dialogué (ici, entre Œdipe et le prêtre de Zeus), il s'agit du *parodos* (entrée du chœur) et des *stasima* (qui séparent chacun des cinq épisodes). Œdipe *roi* ne comporte pas d'*exodos* (sortie du chœur). Le coryphée, qui en dirige les évolutions et les chants, « sort »

par moments de la troupe (portée par Sophocle de douze à quinze choreutes) pour dialoguer directement avec les protagonistes.

9. Région située au au pied du Parnasse ; par extension : Delphes.

10. C'est-à-dire les rives du Styx, le fleuve des enfers.

11. L'océan atlantique, l'une des limites du monde connu dans l'Antiquité.

12. « L'oblique », autre surnom d'Apollon.

13. Le Cithéron est la montagne, située entre Béotie et Attique, où Œdipe enfant fut emmené par le berger qui devait le tuer. C'est là qu'il va errer, aveugle, après sa déchéance.

14. C'est de cette blessure qu'Œdipe tire son nom, qui signifie littéralement « pieds enflés ».

15. *Plastos* : « controuvé », « fictif », « fabriqué » (comme une statuette d'argile). Œdipe était considéré comme fils de Polybe, roi de Corinthe, et de Mérope : en fait, ses parents adoptifs…

16. Le mot *tyrannos,* en grec, ne comporte pas les connotations négatives que nous lui prêtons. Il désigne simplement le maître absolu, celui qui a su conquérir le pouvoir et n'en fait pas forcément mauvais usage. C'est le vrai qualificatif donné à Œdipe dans le titre de la pièce, *Œdipous tyrannos,* qu'une tradition trop ancienne pour être remise en cause, mais inexacte, traduit par *Œdipe roi.*

17. Sanctuaire d'Apollon, en Phocide.

18. *Tyrannos,* à nouveau, dans le texte grec (*Cf.* note 16).

19. Hermès.

20. Cette fois, le chœur emploie bien le terme de *basileus,* « roi » (*cf.* note 16).

21. Le Danube et le Rion.

22. Étéocle et Polynice.

Un tyran sans complexes

Sophocle n'est pas l'inventeur du mythe d'Œdipe (celui des Grecs) : ses tribulations d'une patrie à l'autre et ses liens familiaux problématiques constituent probablement un lointain souvenir, enjolivé des couleurs de l'épopée, des migrations-invasions qui marquèrent la préhistoire hellène. *L'Odyssée* et la *Thébaïde* (épopée perdue du VIII e siècle avant J.-C.) s'en faisaient déjà l'écho. Eschyle a lui-même composé en 467 avant J.-C. une trilogie « liée » [1] où l'histoire d'*Œdipe* faisait suite à celle de *Laïos*, la geste des Labdacides se concluant sur l'épisode des *Sept contre Thèbes* (seule tragédie qui nous reste de cet ensemble) et sur un drame satyrique, *Le Sphinx*. Euripide composera à son tour un *Œdipe*, sans doute postérieur à l'œuvre de Sophocle [2].

Mais c'est ce dernier qui donne à son héros les traits auxquels allait se montrer sensible la postérité, en particulier à l'époque romantique. Schiller [3] vit dans la malédiction subie par Œdipe la marche irrésistible d'un destin sans pitié, d'un *fatum* irrévocable. Cette interprétation, reprise par Schlegel et beaucoup d'autres depuis, d'un « réseau de pièges qui saisissent leur proie malgré toutes les esquives, [d'] un concours de circonstances perfide et subtil, précipitant immanquablement à leur perte ceux que vise la divinité » [4], était conforme à ce qu'il faut bien appeler une réinterprétation, moderne et individualiste, du tragique : la créature désarmée affirme à ses dépens, presque désespérément, sa liberté face à des dieux froids et aveugles. Bien entendu, elle le paye très cher, mais sa grandeur est proportionnelle à ses souffrances. Une telle vision suit d'ailleurs à la lettre ce que proclame le héros éponyme de la pièce, *in fine* : Apollon l'a poursuivi d'une vindicte sans pareille…

Or, l'auteur suggère au contraire qu'Œdipe, même terrassé par le malheur, n'a pas compris la vraie leçon : « Cesse de vouloir tout régenter ; cela ne t'a pas réussi », lui dit durement Créon. Ce qui l'a perdu est bien l'orgueil (*ubris*), non la malveillance de l'Olympe. Tyran plutôt que roi [5], il a gagné le sceptre par ses mérites, non par l'hérédité, à la façon des empereurs-soldats du Bas-Empire romain, des *condottiere* de la Renaissance ou, en France, de certain général corse. Bienfaiteur mais étranger [6], il n'exerce qu'un pouvoir de fait, dont le prêtre de Zeus lui rappelle d'emblée qu'il pourrait être remis en cause si le vainqueur de la sphinge manquait à sa réputation d'efficacité. Le chœur stigmatise même sans ambiguïté, entre le deuxième et le troisième épisodes, l'arrivisme et le manque de scrupules d'Œdipe : « Puisqu'il n'a pas reculé devant le sacrilège et n'a pas craint de violer l'inviolable pour amasser des richesses honteuses, qui ne sentirait la colère l'emporter contre lui ? »

Bref, Œdipe est un *self made man*, fier de l'être. Et c'est bien là ce qui détermine son « crime » initial : convaincu de sa capacité à résoudre, par ses seules forces, *toutes* les énigmes, il se targue d'éclaircir le meurtre de Laïos aussi facilement qu'il a triomphé autrefois de la « vierge ailée ». Cette sûreté de soi, aussi justifiée et impérative – la peste est là… – qu'elle soit, le porte immédiatement à rudoyer le devin Tirésias (dont il brocarde la vieillesse et la cécité), à vouloir la mort, et non simplement l'exil, de son beau-frère Créon (accusé, sans preuve, de complot), à insulter sa femme Jocaste (qu'il juge, bien arbitrairement, infatuée de ses origines), à menacer de mort un vieux berger sans défense, malgré son dévouement à la famille royale. Le chœur et le coryphée le mettent sans cesse en garde contre ces excès. En vain. Il mène ses interrogatoires avec la brutalité expéditive d'un policier qui veut à tout prix son coupable. Cette morgue de monarque qui ne souffre aucune réticence à ses ordres, cette fougue impatiente de tous les obstacles et de toutes les prudences, cette impétuosité – qui explique d'ailleurs son parricide [7] – donnent à la pièce tout son ressort : Œdipe suit sa route sans écouter personne, il serre lui-même, inexorablement, le nœud qu'il s'est mis sans le savoir autour du cou ; dès lors, chacun de ses efforts pour établir, contre tout et tous, la vérité, scelle un peu plus son sort. Il poussera l'orgueil jusqu'à se châtier lui-même : ultime impiété.

Il ne fait pas de doute que pour Sophocle, dont l'attachement aux traditions religieuses de la cité était notoire, c'est bien ce mépris des oracles et des serments, cette volonté présomptueuse de vaincre seul qu'il s'agissait de dénoncer. La peste qui ravage Thèbes évoque celle qui désolait Athènes, peu avant que la tragédie ne fût représentée. Face aux désordres qui menacent la cohésion de la cité [8], Sophocle réaffirme le respect dû aux rites et aux cultes, et la nécessaire humilité devant les dieux : les « malheurs [sont] d'autant plus épouvantables qu'ils [naissent] d'une volonté humaine. »

Si la crainte de « coucher avec sa mère » est ramenée par Jocaste au rang de « vaine terreur », de fantaisie insignifiante et banale, donc innocente (« Ces imaginations troublent quelquefois nos rêves »), Sophocle, par la voix de son héros malheureux, n'a pas de mots assez durs pour fustiger l'inceste : « Des pères qui sont en même temps des frères et des fils, de même sang ! des épouses qui sont en même temps femmes et mères ! jamais les hommes ne virent tant de honte et d'horreur. » On sait que Freud comparait volontiers le déroulement d'*Œdipe roi*, ce surgissement d'une vérité obscure contre les évidences lumineuses de la raison, cet « arrachement à l'apparence »[9], à une analyse. Les métaphores de la « peste » et du « carrefour » psychanalytiques confirmèrent ce que l'auteur de *L'Interprétation des rêves* devait à la tragédie de Sophocle. Mais le premier déplorait les dégâts pathologiques d'un refoulement et d'un tabou dont le second exaltait les vertus.

Jérôme Vérain

Notes

1. L'une des originalités de la dramaturgie de Sophocle est d'avoir rompu cette liaison organique entre les sujets des trois tragédies présentées à chaque concours. L'accent, ainsi, est mis sur la personnalité du héros, non sur la « geste » de sa famille et de ses épreuves.

2. On sait que dans la version d'Euripide, elle aussi perdue, c'est Créon, animé par la jalousie de son beau-frère, qui « menait l'enquête » et dressait contre Œdipe ses serviteurs, qui crevaient les yeux de leur maître. Le thème d'*Œdipe* inspirera ensuite Sénèque, Corneille, Voltaire, Hofmannsthal, et jusqu'à André Gide, ainsi qu'un certain nombre de compositeurs : Purcell, Moussorgski, Stravinski, Enesco…

3. Lettre à Gœthe (2 octobre 1797) ; cité par Karl Reinhardt, *Sophocle* (Minuit, 1971, p. 141).

4. Volkelt, *Aesthetik des Tragischen* (1906) ; *ibid.*

5. *Cf.* note 16.

6. Même si, par une ironie consommée de l'intrigue, il est, en réalité, cet « héritier » de la couronne qu'il se vante de ne pas être.

7. Un vieillard me barre la route : je le tue…

8. Périclès, accusé d'avoir détourné des fonds publics, dut un moment renoncer à ses fonctions. Son entourage proche avait subi, auparavant, des poursuites judiciaires infamantes : Phidias pour corruption, Anaxagore et Aspasie pour impiété.

9. Karl Reinhardt, *op. cit.*

Vie de Sophocle

495 avant J.-C. Naissance de Sophocle à Colone, un faubourg d'Athènes. Il est issu d'une famille aisée : son père, Sophillos, possède des ateliers où l'on fabrique des armes.

490. Bataille de Marathon.

480. Victoire de Salamine. C'est le jeune Sophocle qui conduit le chœur des adolescents, lors des cérémonies de la victoire.

469. Victoire de l'Eurymédon. Pour ses débuts au théâtre, Sophocle remporte le prix de tragédie, contre Eschyle. La suite de sa carrière sera un triomphe ininterrompu : plus de dix-huit victoires (peut-être vingt-quatre) sur la trentaine de concours auxquels il participa. Seules sept de ses tragédies (sur environ cent vingt) nous sont parvenues – *Ajax, Antigone, Électre, Œdipe roi, Les Trachiniennes, Philoctète, Œdipe à Colone* – ainsi que la moitié d'un drame satyrique (la pièce qui complétait chaque trilogie tragique présentée aux concours), *Les Limiers,* et de nombreux fragments.

462. Périclès, auquel Sophocle semble avoir été lié, prend la direction de la politique athénienne.

444. Sophocle est hellénotame ; il gère à ce titre, avec ses neuf collègues, le « trésor » de la Ligue attico-délienne à l'intérieur de laquelle Athènes a fédéré depuis 478 les cités hostiles à l'expansion perse.

440. Il participe, en tant que stratège, à l'expédition que Périclès lance contre Samos révoltée.

431. Début de la guerre du Péloponnèse. L'année suivante, la peste ravage Athènes. *Œdipe roi* fut sans doute représenté à cette époque, avant 420.

429. Mort de Périclès.

415. À nouveau élu stratège, Sophocle prend part au siège de Syracuse, avec Nicias.

412. Il siège au collège des proboules, qui vient d'être créé pour faire pièce aux excès d'une démocratie en crise ; il semble avoir été un piètre magistrat. Sa vieillesse est assombrie par un différend avec ses fils légitimes (issus de son mariage avec Nicostrate), qui tentent d'accréditer son incapacité mentale. L'un deux, Iophon, est également auteur – médiocre – de tragédies.

406. Date probable de la mort du poète.

Vers 401. Son petit-fils, Sophocle le jeune, fils d'Ariston (issu des amours de Sophocle avec Théôris de Sycione), fait représenter sa dernière pièce, *Œdipe à Colone*.

Repères bibliographiques

Œuvres de Sophocle

◆ *Œdipe roi,* traduction de André Bonnard, Éditions de L'Aire, 1989.
◆ *Œdipe roi,* traduction de Jacques Lacarrière, Éditions du Félin, 1994.
◆ *Œdipe le tyran,* adaptation de Friedrich Hölderlin traduite par Philippe Lacoue-Labarthe, Christian Bourgois, 1998.
◆ *Œuvres,* traduction de Alphonse Dain et Paul Mazon revue par Jean Irigoin (3 vol.), Les Belles Lettres, 1997.
◆ *Théâtre complet,* traduction de Robert Pignarre, Garnier-Flammarion, 1964.

Études sur Sophocle

◆ Bollack (Jean), *La Naissance d'Œdipe,* Gallimard, 1995.
◆ Lacarrière (Jacques), *Sophocle dramaturge,* L'Arche, 1960, rééd. 1978.
◆ Lévi-Strauss (Claude), « Magie et religion » et « La structure des mythes », in *Anthropologie structurale,* Plon, 1957.
◆ Méautis (Georges), *Sophocle, essai sur le héros tragique,* Albin Michel, 1957.
◆ Péguy (Charles), « Les Suppliants parallèles », *Cahiers de la Quinzaine, 1907,* in *Œuvres en prose complètes* (tome II), Gallimard, La Pléiade, 1992.
◆ Reinhardt (Karl), *Sophocle,* traduit par Émmanuel Martineau, Éditions de Minuit, 1971 ; rééd. 1990.
◆ Romilly (Jacqueline de), *L'Évolution du pathétique, d'Eschyle à Euripide,* Belles Lettres, 1961, rééd. 1980.
◆ Ronnet (Gilberte), *Sophocle, poète tragique,* De Boccard, 1969.

Mille 'et une nuits propose des chefs-d'œuvre pour le temps
d'une attente, d'un voyage, d'une insomnie…

Pour chaque titre, le texte intégral, une postface,
la vie de l'auteur et une bibliographie.

49.4611.04.7
N° d'édition : 79465
Achevé d'imprimer en octobre 2006,
par Liberdúplex (Barcelone, Espagne)